데이비드 코퍼필드

글 찰스 디킨스 | 그림 산티아고 칼레 | 옮김 윤영

KB086169

스푼북

데이비드 학교에 가다

　데이비드 코퍼필드는 아빠를 본 적이 없었어. 아빠는 데이비드가 태어나기 6개월 전에 돌아가셨거든.

　엄마인 클라라는 남편이 너무나 그리웠단다. 아들을 혼자 키우게 될 거라고는 상상도 해 본 적이 없었어.

클라라와 데이비드는 서펵이라는 작은 마을
에 살았어. 친절하고 일 잘하는 하녀와 함께
살 수 있어서 얼마나 다행이었는지 몰라.

하녀의 이름도 클라라였어. 데이비드의 엄마와 똑같았지. 그래서 사람들은 그를 페고티라는 성으로 불렀단다.

데이비드가 두세 살일 무렵, 잘생겼지만 다소 엄격한 남자가 엄마를 만나러 집에 찾아오기 시작했어. 남자의 이름은 머드스톤이라고 했어. 데이비드는 그가 별로 마음에 들지 않았어.

어느 날, 페고티는 데이비드에게 자기 오빠네 집에 놀러 가자고 했어. 오빠는 야머스라는 해안가 마을에 산다고 했지. 하지만 페고티는 야머스 마을을 그냥 지나쳤어. 보트와 밧줄을 만드는 사람들의

마을도 지나갔지. 페고티와 데이비드는 해변
까지 계속 걸어갔단다.

"저기가 우리 오빠네 집이에요, 도련님."

페고티가 말했어.

데이비드는 페고티가 말하는 곳을 바라봤
어. 눈앞에 보이는 건 저 멀리 은빛으로 빛나
는 바다, 그리고 뒤집어 놓은 커다란 나무배
뿐이었지.

가까이 다가가자 배에 굴뚝이 솟아 있는 게 보였어. 굴뚝에선 연기가 뭉게뭉게 뿜어져 나오고 있었지. 배에는 현관이 딸린 깔끔한 출입문도 있었고 옆쪽엔 창도 몇 개 나 있었어.

그 안은 굉장히 깔끔하고 포근하며 아늑했어. 페고티의 오빠는 두 사람을 반갑게 맞아 주었단다. 데이비드와 페고티는 거기서 2주를 지냈어. 데이비드가 처음 경험해 보는 휴가였지. 데이비드는 그곳에서 보내는 매 순간이 즐거웠어.

휴가가 끝나고 데이비드와 페고티는 집으로 돌아왔어. 대문 앞에서 페고티는 데이비드의 어깨에 팔을 얹었어. 페고티의 표정이 왠지 불안해 보였지.

"페고티, 왜 그래요?"

데이비드가 물었어.

"아무것도 아니에요. 신의 가호가 있기를 바라요, 데이비드 도련님."

평소 같으면 엄마가 대문까지 달려 나와 반겨 주었을 텐데, 엄마는 보이지 않았어. 분명 무슨 일이 있는 것 같았지.

"무슨 일이에요? 엄마는 어디 있어요?"

"아, 그게, 미리 이야기를 해야 했는데……."

"뭘 말인가요, 페고티?"

데이비드는 슬슬 겁이 나기 시작했어.

"도련님한테 아빠가 생겼어요. 새아빠요. 가서 만나 봐요."

"그러기 싫어요."

데이비드가 말했어.

하지만 데이비드에게는 선택권이 없었어. 페고티는 그를 데리고 응접실*로 갔지. 벽난로를 가운데에 두고 한쪽에는 엄마가, 다른 한쪽에는 새아빠인 머드스톤 씨가 앉아 있었어.

데이비드는 에드워드 머드스톤이 아빠가 된 게 달갑지 않았어. 집 안에서 데이비드가 쓸 수 있는 공간도 줄어들었지. 다행히 데이비드는 글을 읽을 줄 알았어. 그래서 슬플 때마다 책 속 세상으로 도망가곤 했어.

당시에는 학교에 가는 대신 집에서 교육을 받는 아이들이 종종 있었단다. 머드스톤 씨는 데이비드를 제대로 공부시키기로 마음먹었어. 그는 교과서의 긴 내용을 줄줄 읽으라 하고,

*응접실: 손님을 맞이하기 위해 꾸며 놓은 방.

그 내용을 통째로 외우게 했어. 만약 제대로 해내지 못하면 벌을 줬지.

한번은 데이비드가 역사 수업의 내용을 외우고 있었어. 엄마가 교과서를 보며 문제를 냈지. 머드스톤 씨는 구석에 앉아 책을 읽고 있었어. 하지만 실제로는 데이비드가 엄마와

공부하는 걸 지켜보고 있었지.

　그러던 중 데이비드가 두어 명의 옛날 왕 이름을 헷갈렸어.

　머드스톤 씨가 고개를 들었어.

　뒤이어 데이비드는 전쟁이 일어난 날짜를 기억하지 못했어.

엄마는 차마 답을 알려 주지는 못하고 안타까워하며 부드러운 목소리로 말했어.

"어머, 아들. 기억이 안 나?"

그러자 남편이 버럭 소리쳤어.

"클라라, 아이한테 단호한 모습을 보이세요. '어머, 아들.' 같은 소리는 하지 말아요! 저 애가 아기도 아니잖아요. 지금은 답을 아느냐 모르느냐가 중요해요."

"데이비드, 한 번만 더 생각해 보자."

엄마가 말했어.

하지만 데이비드는 생각할수록 더 헷갈렸어.

엄마가 입 모양으로 몰래 답을 알려 주었지만,
머드스톤 씨에게 바로 들키고 말았지. 그는
불같이 화를 냈어.

"클라라!"

머드스톤 씨는 벌떡 일어나 엄마가 들고 있
던 역사책을 뺏어 데이비드에게
던졌어.

상황은 더 나빠졌어.
데이비드는 거듭되는
시험에서 답을 틀리
고 또 틀렸어. 마침
내 새아빠는 참지 못
했어. 때려서라도 가
르쳐야겠다고 다짐했지.

17

머드스톤 씨는 한 손으로는 데이비드의 머리를 잡고 다른 한 손으로는 지팡이를 들어 그를 때리려 했어. 데이비드는 몸을 틀어 자기 머리를 잡고 있는 새아빠의 손을 덥석 잡았어. 그리고 그의 손을 꽉 물어 버렸지.

흥분한 머드스톤 씨는 데이비드를 세게 때렸어. 그리고 데이비드를 방에 가둬 버렸어. 데이비드는 무려 5일 동안 침실 벽만 보며 지내야 했어. 데이비드는 앞으로 어떤 일이 벌어질지 걱정이 됐어. 다른 사람을 해친 건 처음이었거든. 당연히 다른 사람을 문 적도 없었고. 이러다가 감옥에 가는 건 아닐까?

그러다 6일째 되는 날, 데이비드는 자기가 학교에 다니게 될 거라는 사실을 알게 되었어. 그것도 슬펐지만, 엄마마저 데이비드를 몹시 나쁜 아이로 믿게 된 게 더 슬펐어. 모두 데이비드가 집을 떠나는 게 최선이라고 생각하게 된 거야.

데이비드는 과외 교사의 손에 이끌려 런던에 갔어. 그리고 살렘하우스라는 학교에 들어가게 되었지.

살렘하우스는 딱딱하고 엄격한 곳이었어. 크리클 교장 선생님은 틈만 나면 학생들에게 벌을 줬어. 아주 사소한 잘못만 해도 들고 있던 자나 지팡이로 아이들을 때렸단다.

게다가 아이들이 데이비드의 등에 자꾸 종이를 붙이는 장난을 쳤어. 거기엔 '조심. 물릴 수 있음.'이라고 적혀 있었지.

데이비드 코퍼필드는 말 안 듣는 개 취급을 받고 있던 거야. 데이비드는 비참했어. 사람들의 시선이 걱정되었지. 하지만 다행히 친구들이 생겼어. 늘 책 읽기를 좋아했던 데이비드는

집에서 읽었던 재미있는 이야기를 살렘하우스
아이들에게 들려주며 친구들과 친해졌어.
　그러던 어느 날 끔찍한 소식이 전해졌어. 엄
마가 돌아가셨다는 소식이었어.

장례식을 치르기 위해
집에 돌아온 데이비
드를 위로해 주는 사
람은 페고티밖에 없
었어.

하지만 엄마가 세상
을 떠나자마자 머드스톤
씨는 페고티를 집에서 내쫓았어. 페고티는 오
빠와 같이 살기 위해 야머스로 떠났지.

이제 머드스톤 씨는 데이비드마저 쫓아낼
계획인 듯했어. 데이비드를 돈이 많이 드는 학
교에 보내는 대신 나가서 일을 하게 한 거야.

미코버 씨를
만나다

데이비드의 새아빠는 런던 부두에 오가는 배에 와인을 제공하는 사업을 하고 있었어. 데이비드는 창고에서 일했  어. 빈 병을 다시 사용 할 수 있도록 씻는 일이었지. 데이비드 의 나이는 이제 열 두 살이었어.

온종일 창고에서 병을 씻는 건 정말 지루하고 외로운 일이었어. 데이비드는 학교에서 사귄 친구들이 보고 싶었지. 이제 데이비드는 미코버 가족과 살게 되었어. 미코버 씨는 달걀같이 둥글둥글한 대머리가 눈에 띄는, 덩치가 큰 남자였어. 그에게는 무척 마른 아내와 아이가 네 명 있었단다.

미코버 가족은 무척 가난했어. 그래서 이 허름한 집에 데이비드가 하숙* 손님으로 들어온 걸 무척 반가워했지. 미코버 씨는 늘 살림살이가 나아지기를 바랐지만 그게 마음대로 되진 않았어.

그는 돈 관리는 잘하지 못했지만 그래도

*하숙: 일정한 방세와 식비를 내고 남의 집에 머물면서 먹고 자고 하는 일.

데이비드에겐 친절했어. 거의 아빠와 같은 존재였지.

하지만 가난에 힘들어하던 미코버 가족은 어느 날 런던을 떠나기로 마음먹었어. 원래 살던 플리머스로 돌아가기로 한 거야. 거기에선 형편이 좀 나아지기를 바라면서.

데이비드의 유일한 친구들이 그렇게 런던을 떠났어. 병 씻는 일이 지긋지긋했던 데이비드도 런던을 떠나기로 결심했단다.

데이비드는 친아빠에게 벳시 트로트우드라는 고모가 있다는 걸 떠올렸어. 혹시 고모할머니라면 데이비드를 받아 주지 않을까?

그런데 고모할머니는 어디에 살고 있는 거지?

데이비드는 페고티에게 편지를 썼어. 답장에서 페고티는 벳시 고모할머니가 도버에 살고 있다고 알려 줬지.

데이비드는 런던을 떠나 도버로 향했어. 가진 돈이 얼마 없었던 데이비드는 가는 길에 먹을 음식과 물을 사느라 조끼와 재킷을 팔아야 했단다. 잠도 길에서 자야 했지. 다행히 여름

이라 길바닥에서 자도 춥지 않았어.

그렇게 몇 날 며칠의 여행 끝에 도버에 도착
했어. 그리고 여러 사람의 도움으로 벳시 고모
할머니가 바다를 마주한 작은 오두막에 살고
있다는 걸 알게 되었어.

대문 밖에 서 있던 데이비드
는 자기 꼴이 얼마나 초라
한지 깨달았어. 걷고 또
걷느라 신발이 다 해졌
고, 밖에서 자느라 셔
츠와 바지는 진흙과 풀
물로 얼룩이 져 있었지.
머리부터 발끝까지 먼지가
가득했어.

그때 집에서 한 여자가 걸어 나왔어. 정원
손질용 장갑을 끼고 칼을 들고 있었지. 그가
정원을 둘러보다가 문 앞에 서 있는 데이비드
를 발견했어.

"저리 가! 여긴 너 같은 애들이랑 상관없는
곳이야."

그 여자는 쭈그리고 앉아 칼로 잡초를 파헤
쳤어.

데이비드는 가슴을 졸이며 정원으로 살금
살금 들어갔어. 그리고 여자 옆에 서서 손가락
으로 그를 툭툭 건드렸어.

"저기요……."

여자는 깜짝 놀라며 고개를 들었어.

"저기, 고모할머니, 저는 데이비드라고 해요."

"세상에!"

고모할머니는 너무 놀라서 정원에 난 길 위에 주저앉았어.

벳시 고모할머니는 무섭게 생겼지만 친절한 분이었어. 하지만 데이비드는 걱정이 많았지. 고모할머니가 머드스톤 씨에게 편지를 쓰는 바람에 그가 데이비드가 있는 곳을 알아 버렸거든.

역시나 며칠 후, 머드스톤 씨가 바다를 마주
한 작은 오두막에 찾아왔어. 그는 현관을 막
아서고 이렇게 말했어.

"저 녀석은 창피하게도 자기가 일하던 곳에
서 도망을 쳤어요. 알고 계셨어요, 트로트우드
씨? 제가 다시 데려가려고 왔습니다."

"데이비드의 생각은 물어보셨나요? 데이비드, 넌 다시 돌아가고 싶니?"

고모할머니가 물었어.

데이비드는 고모할머니를 붙잡고 애원했어. 자기를 병 씻는 창고에 보내지 말아 달라고 말이야.

"자, 보셨죠, 머드스톤 씨?"

머드스톤 씨는 잔뜩 화가 나 보였어.

"잘 알겠습니다. 그럼 이제 이 녀석과는 연을 끊겠어요."

그는 이렇게 말하며 돌아서서 가 버렸어.

데이비드
학교에 돌아가다

벳시 트로트우드는 데이비드 코퍼필드를 입양했어. 데이비드는 캔터베리 성당 근처에 있는 새로운 학교에 다니게 되었어. 살렘하우스보다 훨씬 더 좋은 곳이었단다.

학교에 다니는 동안 데이비드는 고모할머니의 친구 집에서 지내게 되었어. 위크필드라는 이름의 변호사 집이었지. 변호사에게는 아그네스라는 딸이 있었어. 아그네스는 어머니가 돌아가신 후로 계속 아버지를 돌보고 있었어.

변호사에게는 조수도 있었어. 열다섯 살인 조수의 이름은 유라이어 힙이었단다. 그는 위크필드 씨의 일이라면 뭐든 도왔어. 심지어 벳시 고모할머니가 타고 온 마차를 끌었던 회색 조랑말까지 돌봐 주었지.

데이비드는 유라이어의 외모에 무척 눈이 갔어. 그는 해골처럼 비쩍 마른 데다 얼굴은 초췌하고, 팔다리도 뼈밖에 없어 보였어. 빨간 머리는 짧게 바짝 자른 모양이었지.

유라이어는 종종 자기를 '겸손한 사람'이라고 불렀어. 그리고 위크필드 같은 사람들이 그에게 얼마나 착하고 친절한지를 설명했지. 하지만 데이비드는 왠지 유라이어가 무언가를 숨기고 있다는 느낌이 들었어.

때때로 그는 데이비드의 말에 감명을 받은 척하며 늘 들고 다니는 까만 수첩에 그 말을 받아 적기도 했지.

유라이어는 어머니와 함께 살았는데, 한번은 데이비드에게 자기 집에 같이 가서 차를 마시자고 졸랐어. 데이비드는 유라이어와 함께 그의 집에 갔어. 유라이어의 어머니는 아들과 꼭 닮은 모습이었어. 게다가 어머니도 자신을 '겸손한 사람'이라고 말했지. 하지만 데이비드는

두 사람이 자기에게 뭔가를 캐내려 한다는 느
낌을 받았어.

차를 다 마신 데이비드는 유라이어의 집에
서 나왔어. 불편한 공간을 벗어나니 속이 후
련했지. 기분 좋게 걷고 있는데 누군가 말을
걸어왔어.

"데이비드 코퍼필드! 이게 무슨 일이야?"

그는 바로 미코버 씨였어.
데이비드도 그가 정말 반
가웠어.

미코버 가족은 플리머
스에서도 생활이 어려웠
나 봐. 그래서 새로운
꿈을 안고 캔터베리로

이사를 왔대. 하지만 여기서도 생활이 시원찮
았던 모양이야. 가족들은 또 한 번 이사를 떠
날 예정이라고 했지. 어찌 되었든 데이비드는
소중한 친구들을 다시 만나 즐거웠단다.

몇 년이 흘렀어. 데이비드는 이제야 학교생활이 즐거워졌어. 그 사이 데이비드와 아그네스는 점점 더 가까워져서 둘도 없는 친구가 되었지. 아그네스는 아버지가 술을 너무 많이 마시는 것 같다고 걱정했어. 또 유라이어 힙이 아버지에게 끼치는 영향이 점점 커지는 게 무섭다고도 했어.

아그네스의 걱정은 일리가 있었어. 모두 사실이었거든.

데이비드
런던에 가다

벳시 고모할머니는 데이비드에게 변호사가 되어 보라고 제안했어. 그러면서 런던에 있는 변호사를 소개해 주겠다고 했어.

데이비드는 변호사가 되어야겠다고 생각한 적은 없었지만, 그렇다고 되고 싶은 직업이 있는 것도 아니었어. 그리고 고모할머니를 기쁘게 해 드리고 싶은 마음이 컸지.

그는 세인트 폴 대성당 근처에 있는 변호사 사무실에서 사무원으로 일하기 시작했어.

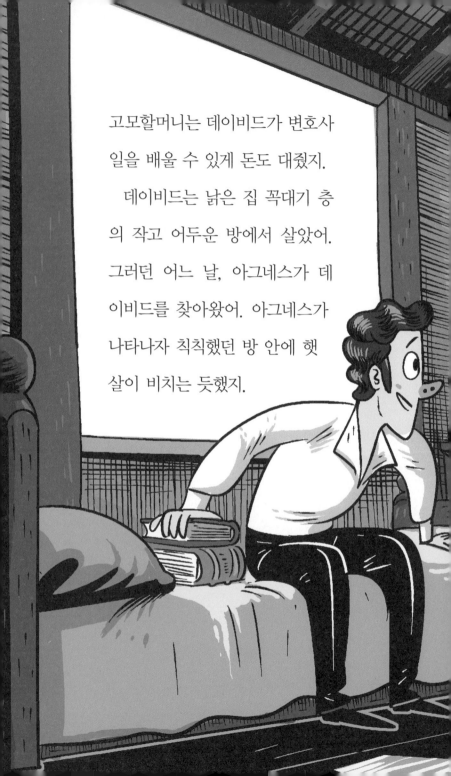

고모할머니는 데이비드가 변호사 일을 배울 수 있게 돈도 대줬지.

데이비드는 낡은 집 꼭대기 층의 작고 어두운 방에서 살았어. 그러던 어느 날, 아그네스가 데이비드를 찾아왔어. 아그네스가 나타나자 칙칙했던 방 안에 햇살이 비치는 듯했지.

유라이어 힙도 데이비드를 찾아왔어. 딱히 반갑진 않았어.

유라이어는 데이비드의 새집이 궁금해서 와 봤다고 말했지만, 위크필드 가족 이야기를 하러 온 것 같았어.

"위크필드 씨는 너무 현명하지 못해요. 그리고 어찌나 경솔한지요."

유라이어는 안타까운 듯 말했지만, 사실은 기분이 좋아 보였어.

데이비드는 아그네스가 했던 말이 생각났어.

아그네스의 아버지는 좋은 분이지만, 나이도 많고 술도 많이 마셨어.

"저처럼 겸손하고 별 볼 일 없는 사람이 곁에 있으니 망정이지, 안 그랬으면 그 누구라도 위크필드 씨를 자기 마음대로 휘어잡았을 거예요. 이렇게 짓눌렀을 거라고요."

유라이어 힙은 앙상한 손을 내밀더니 엄지손가락으로 탁자를 꾹 누르는 시늉을 했어. 그러고는 이렇게 말했어.

"데이비드 도련님, 비밀을 지켜 주실 수 있나요?"

데이비드는 유라이어가 무슨 소리를 할지 두려웠어.

"사실 저는 오래전부터 아그네스 씨를 좋아하고 있었어요. 아그네스 씨는 아버지랑 매우 가까우니 언젠가는 저와도 가까워질 거예요. 저와 마음이 통할 겁니다."

유라이어는 아그네스에게 접근하기 위해 위크필드 씨에게 영향력을 행사하는 게 분명했어. 그는 아그네스와 결혼까지 생각하는 듯했지. 심지어 아그네스를 '나의 아그네스'라고 부르는 게 아니겠어? 마치 모든 게 다 예정된 것처럼 말이야.

데이비드는 유라이어를 한 대 때리고 싶었지
만 꾹 참았어. 그저 고개를 끄덕이다가 헤어지
며 악수를 했지. 유라이어의 손은 개구리 피
부처럼 축축하고 미끈거렸어.

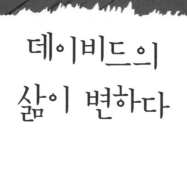

데이비드의 삶이 변하다

데이비드가 런던에서 사는 동안 고모할머니는 가진 돈을 거의 다 잃었어. 덩달아 데이비드의 삶도 변했지. 고모할머니는 자기가 잘못된 선택을 해서 이렇게 되었다고 말했어. 하지만 데이비드는 위크필드 씨가 돈 문제로 고모할머니에게 조언했다는 사실을 알고 있었어.

데이비드는 그 조언이 정말 위크필드 씨가 해 준 건지 의심이 들었어. 하지만 고모할머니는 너무 착한 사람이라 자신의 불운을 남 탓으로 돌리지 않았어.

결국 바닷가 앞 작은 집을 정리한 고모할머

니는 런던에 있는 데이비드의 방에서 함께 지내게 되었어. 그는 고모할머니에게 받았던 사랑을 돌려줄 수 있게 되어 오히려 좋았단다.

하지만 변호사 사무실에서는 더 이상 일을 할 수 없게 되었어. 이를 어째!

데이비드는 늘 책 읽기를 좋아했어. 어릴 때부터 힘든 일이 있으면 책 속 세상으로 도망치곤 했지. 살렘하우스에서도 집에서 읽었던 이야기를 친구들에게 들려줬잖아.

데이비드는 직접 글을 쓰기로 했어. 변호사 사무실에서 했던 것처럼 법률 문서에 적혀 있는 다른 사람의 말을 그대로 베껴 쓰는 게 아니었어. 자기 이야기를 쓰려고 마음먹은 거야. 자기만의 단어로, 자기만의 이야기를……. 그는 열심히 쓴 원고를 출판사에 보냈어. 그중

일부가 책으로 출간되었고, 데이비드는 돈을
벌기 시작했어. 물론 큰돈은 아니었지만, 그
에게 미래에 대한 희망을 심어 주기에는 충분
했지.

한편 유라이어 힙은 위크필드 씨의 변호사 일에도 점점 손을 뻗었어. 이제 위크필드와 유라이어는 동업자가 되었지.

위크필드 씨는 유라이어를 동업자로 맞게 되어 얼마나 감사한지 모른다고 말했어. 하지만

데이비드는 이 말을 하는 위크필드 씨의 목소리에 너무 힘이 없다고 생각했어. 그리고 유라이어가 자꾸 위크필드 씨에게 많은 양의 술을 권하는 모습도 보았지. 아그네스는 유라이어를 막을 힘이 없었어. 그저 무언가에 홀린 듯 이상해지는 아버지의 모습을 지켜볼 수밖에 없었어.

심지어 유라이어와 그의 어머니는 위크필드 씨의 집으로 이사를 왔어. 데이비드 눈에는 그 두 사람이 마치 위크필드 씨 집에 거꾸로 매달려 있는 거대한 흡혈박쥐처럼 보였어.

한편 데이비드는 캔터베리에서 미코버 씨를 다시 만났어. 드디어 그에게도 행운이 찾아온 모양이야.

미코버 씨는 새로운 법률 회사의 사무원으로 뽑혔다고 자랑했어. 그런데 이럴 수가! 그 회사는 바로 위크필드 씨와 유라이어가 함께 만든 회사였어.

미코버 씨는 따로 내색은 하지 않았지만

유라이어 힙이 마음에 들지 않는 것 같았어. 심지어 새로운 회사에서 일하는 게 아주 괴로워 보였지. 하지만 미코버 씨는 아무에게도 불만을 표현하지 않았어. 미코버 가족들에게는 유라이어가 주는 월급이 꼭 필요했으니까.

달 밝은 어느 날 밤, 데이비드는 캔터베리 외곽의 시골길을 걷고 있었어. 그가 최근에 내 놓은 소설이 아주 잘 팔려서 사람들 사이에서 데이비드의 이름이 점점 알려졌던 시기였지.

마침 유라이어가 산책 중인 데이비드와 마주쳤어. 그는 개구리 피부처럼 축축하고 미끈거리는 손가락으로 데이비드의 손을 꼭 잡았어.

"이렇게 만나다니! 반가워요, 데이비드 도련님."

데이비드는 아무 말도 하지 않았어.

"저는 요즘 겸손한 마음으로 살고 있어요. 도련님 같은 좋은 분이 작가로 성공을 했다니 더욱 스스로가 보잘것없이 느껴집니다. 하지만 별 볼 일 없는 저에게도 지금은 약간의 힘이 생겼답니다."

약간의 힘이라는 것은 아마도 유라이어가 위크필드 씨, 미코버 씨, 아그네스, 그리고 또 있을지 모르는 다른 사람들에게 권력을 행사하며 살고 있다는 뜻인 것 같았어.

데이비드는 달빛에 비친 유라이어의 얼굴을 흘깃 쳐다보았어. 기분 나쁘게 번뜩이는 날카롭고 교활한 눈이 마치 한 마리의 여우 같았지.

데이비드는 유라이어가 자기의 힘을 절대로 좋은 곳에 쓰지 않을 거라는 생각이 들었어. 그리고 위크필드 씨를 파멸시키고 아그네스를 자기 여자로 만들기 전까지는 만족하지 않을 것 같았지.

유라이어 힙의
정체가 드러나다

데이비드는 미코버 씨에게 편지 한 통을 받았어. 조만간 벳시 고모할머니와 함께 캔터베리에서 만나고 싶다는 내용이었지. 편지에는 온갖 사기와 거짓말, 끔찍한 이야기들도 가득 적혀 있었어. 유라이어 힙에 대한 내용도 빠지지 않았어. 데이비드는 편지에 담긴 내용을 정확히 이해하지는 못했어.

하지만 미코버 씨가 지금 무언가에 몹시 화가 난 상태라는 건 확실히 느꼈지.

데이비드와 고모할머니는 위크필드와 유라 이어의 사무실에 도착했어. 미코버 씨는 그들의 방문에 놀라는 척 연기를 했지.

"위크필드 씨는 집에 계신가요?"

데이비드가 물었어.

"아파서 누워 계셔. 하지만 집으로 가면 아
그네스 양이 반겨 줄 거야. 유라이어 힙에게
손님이 왔다고 전할게."

미코버 씨는 유라이어의 이름을 입에 담는 것도 싫어하는 눈치였어.

그는 옆방 문을 벌컥 열고는 쩌렁쩌렁한 목소리로 외쳤어.

"트로트우드 씨와 데이비드 코퍼필드 씨가
왔습니다."

유라이어 힙은 책상에 앉아서 무언가를 쓰
다가 고개를 들었어. 그런데 그가 앉아 있는
자리는 원래 위크필드 씨의 자리였어.

"오, 이거 정말 예상치 못한 반가운 손님들이군요."

유라이어는 손으로 뾰족한 턱을 매만지면서 뭔가 수상하다는 표정을 지었어.

"참 많은 게 바뀌었죠? 안 그런가요, 트로트우드 씨? 저는 그저 부인의 조랑말이나 돌보던 겸손한 하인이었는데 말이죠."

유라이어는 역겨운 미소를 지었어.

"많은 게 바뀌었지만 당신은 예전과 똑같은 것 같군요, 힙."

벳시 고모할머니가 말했어.

유라이어는 이 말을 어떻게 받아들여야 할지 몰랐어. 칭찬인 걸까, 아니면 모욕일까?

그때 유라이어가 문 앞에 서 있는 미코버 씨
에게 말했어.

"나가서 일 보세요, 미코버."

하지만 미코버 씨는 꿈쩍도 하지 않았어.

"왜 그러고 있나요? 미코버, 나가서 일 보라는 소리 못 들었어요?"

유라이어가 짜증스럽게 말했어.

"들었죠."

미코버 씨는 여전히 그 자리에 서 있었어.

"그런데 왜 그러고 있는 겁니까?"

"내가 여기 서 있고 싶으니까요."

"내가 시키는 대로 하지 않으면 당신을 쫓아내겠어요. 아시겠지만 난 당신을 고용한 사장입니다."

"아니요, 당신은 그냥 정직하지 못한 악당이에요."

미코버 씨가 불쑥 말했어.

미코버 씨는 참고 있던 말을 내뱉은 것 같았어. 그동안 이 말이 하고 싶어서 입이 근질근질했던 모양이야.

유라이어는 위크필드 씨의 자리에서 벌떡 일어났어. 그는 마치 뱀처럼 온몸을 비틀었지. 바로 그때 아그네스가 나타났어.

기다렸다는 듯이 유라이어의 어머니도 방으로 들어왔어. 유라이어의 어머니가 무어라 말을 하려는데 유라이어가 싸늘한 말투로 끼어들었어.

"엄마는 잠자코 있어요! 이 사람들은 내가 처리할 테니까."

유라이어는 작은 눈으로 데이비드, 벳시 고모할머니, 미코버 씨, 아그네스를 차례로 쏘아

보았어.

그때 미코버 씨가 주머니에서 종이 몇 장을
꺼내며 외쳤어.

"이게 당신이 저지른 범죄 목록이에요, 이
비열한 악당!"

유라이어는 그 종이를 낚아채려고 했어. 하지만 미코버 씨가 책상 위에 있던 자를 얼른 집어서 유라이어의 손을 때렸지. 손에 뼈밖에 없어서인지 둔탁한 소리가 났어.

미코버 씨는 종이를 펼쳐 큰 소리로 읽기 시작했어.

"유라이어 힙, 당신을 고발합니다. 당신은 워크필드 씨가 몸이 아프고 정신이 온전치 못한 틈을 타 의도적으로 그를 이용했습니다."

"어차피 워크필드 씨는 술에 찌든 늙은 바보일 뿐이잖아."

유라이어는 더 이상 겸손한 척 연기하지 않았어.

아그네스는 놀라서 헉 소리를 냈고, 데이비드는 아그네스를 부축해 주었어.

미코버 씨는 계속해서 읽었어.

"당신은 워크필드 씨를 속여 중요한 서류에 사인하게 하고, 중요하지 않은 척했습니다. 또 사업에 필요한 척, 돈을 빼돌렸죠."

"그 말이 사실이라면 어디 증명해 보시지."

유라이어가 말했어.

"수첩을 늘 갖고 다니지 않았나요, 유라이어? 그 까만 수첩이요."

미코버 씨가 말했어.

데이비드는 그 수첩이 생각났어. 유라이어 역시 처음으로 당황한 듯 보였지.

"수첩을 갖고 다닌 게 뭐? 어차피 지금은 그 수첩이 없어요. 다 타서 재가 되었거든."

그때 미코버 씨가 다른 주머니에서 수첩을 꺼냈어.

"당신이 살던 집 벽난로에서 찾아냈지. 조금 타고 낡았지만 내용을 읽을 순 있소. 여기에 당신의 모든 비밀과 교묘한 속임수가 다 적혀 있더군요. 예를 들어 여길 펼쳐 보면……."

미코버 씨는 수첩을 펼쳐 데이비드, 벳시 고모할머니, 아그네스에게 보여 주었어.

"여기 보시면 이 악당이 위크필드 씨의 사인을 연습한 흔적이 있어요. 거의 완벽에 가까워질 때까지 쓰고 또 쓴 걸 볼 수 있죠. 위크필드 씨 이름으로 사인한 편지나 서류도 있습니다. 유라이어 힘은 자기를 고용한 위크필드 씨를 계속 속여 왔어요. 그의 돈까지 자기가 다

챙겼지요. 위크필드 씨의 권력을 전부 손에 넣

으려 한 거예요!"

미코버 씨의 폭로에 아그네스는 흐느끼기 시작했어.

유라이어 힙은 궁지에 몰렸어. 사람들이 나가는 길을 막고 있지 않았더라면 아마 몰래 탈출을 시도했을 거야.

그때 유라이어의 어머니가 처음으로 입을 열었어.

"유라이어, 유라이어! 겸손했어야지, 겸손하라 했잖아. 그게 최선이란 말이다."

"조용히 하세요, 엄마. 겸손하게 사는 건 이미 지겹게 했으니까."

그는 어머니에게 사납게

대들더니 이번엔 데이비드를 보며 말했어.

　"데이비드, 난 늘 네가 싫었어. 넌 언제나 내게 적대적이었지."

　"당신은 온 세상에 적대적이었어요."

　데이비드가 대꾸했어.

그 후로도 많은 일이 있었어. 유라이어 힙은 감옥에 갔어야 했지만, 대신 다른 벌을 받았어. 데이비드와 미코버 씨가 준 벌이었지. 바로 유라이어가 위크필드 씨에게 빼돌렸던 모든 돈과 재산을 다시 메꾸어 놓게 하는 거였어.

알고 보니 유라이어는 벳시 고모할머니까지 속였어. 고모할머니는 여태 위크필드 씨의 잘못으로 재산을 잃은 줄 알았거든. 마음 착한 고모할머니는 돈을 잃고도 아무 내색도

하지 않았지. 그런데 사실 그 일 역시 유라이어의 짓이었던 거야.

돈을 돌려받은 벳시 고모할머니는 원래 살던 집으로 다시 돌아갔단다.

옆에서 사기를 치는 유라이어가 없으니, 위크 필드 씨도 천천히 건강을 회복하기 시작했어.

미코버 가족은 다 함께 영국을 떠나 호주로 이사를 하기로 했어. 그 넓은 나라에서는 형편이 좀 나아지지 않을까 기대하면서 말이야.

그리고 정말로 미코버 가족에게 행운이 따랐어. 미코버 씨가 치안 판사가 된 거야. 그리고 주변 사람들에게 존경과 사랑을 받으며 살게 되었대.

데이비드 코퍼필드에게도 좋은 일이 가득했어. 그는 더 많은 소설을 써서 유명해졌지.

데이비드와 아그네스는 친한 친구 그 이상의 사이가 되었어. 두 사람의 사랑은 점점 커졌고, 머지않아 결혼을 했어. 그리고 함께 행복하게 살았단다. 어릴 때 기대했던 것보다 훨씬 더 행복하게. 이제 데이비드는 자기 아이들에게 그가 그토록 원했던 행복한 어린 시절을 선물할 수 있게 되었어.

찰스 디킨스

1812년 영국 포츠머스에서 태어났어요. 찰스 디킨스는 소설 속 등장인물들처럼 가난했고 힘든 어린 시절을 보냈어요. 하지만 어른이 된 그는 자신이 쓴 책으로 전 세계에 알려졌고, 그 시대 가장 중요한 작가 중 한 명으로 기억되고 있답니다.

산티아고 칼레 그림

일러스트 및 애니메이션 작가예요. 콜롬비아의 도시 메데인에서 태어나 영국의 에든버러 예술 대학에서 공부했어요. 학생들을 가르친 경험을 통해 만화의 '연속 예술(시퀀스 아트)'에 대해 깊이 연구했습니다. 2006년에 콜롬비아의 수도 보고타에 스튜디오를 차리고 일러스트와 만화, 애니메이션 등을 제작하는 데 힘을 쏟고 있답니다.

윤영 옮김

서울대학교 미학과를 졸업하고 같은 대학원에서 고고미술사학과를 수료했습니다. 현재는 번역 에이전시 엔터스코리아에서 번역가로 활동 중입니다. 옮긴 책으로는 〈암호 클럽〉 시리즈, 〈복면공주〉 시리즈 등이 있습니다.

데이비드 코퍼필드

초판 1쇄 발행 2023년 6월 27일

글 찰스 디킨스 | 그림 산티아고 칼레 | 옮김 윤영

ISBN 979-11-6581-422-9 (74840)
ISBN 979-11-6581-418-2 (세트)

* 잘못 만들어진 책은 구입하신 곳에서 바꾸어 드립니다.

발행처 주식회사 스푼북 | **발행인** 박상희 | **총괄** 김남원
편집 김선영·박선정·김선혜·권새미 | **디자인** 조혜진·김광휘 | **마케팅** 손준연·이성호·구혜지
출판신고 2016년 11월 15일 제2017-000267호
주소 (03993) 서울시 마포구 월드컵북로 6길 88-7 ky21빌딩 2층
전화 02-6357-0050(편집) 02-6357-0051(마케팅)
팩스 02-6357-0052 | **전자우편** book@spoonbook.co.kr

제품명 데이비드 코퍼필드
제조자명 주식회사 스푼북 | **제조국명** 대한민국 | **전화번호** 02-6357-0050
주소 (03993) 서울시 마포구 월드컵북로6길 88-7 ky21빌딩 2층
제조년월 2023년 6월 27일 | **사용연령** 8세 이상
※ KC마크는 이 제품이 공통안전기준에 적합하였음을 의미합니다.

⚠ **주 의**

아이들이 모서리에 다치지
않게 주의하세요.